Dominique de Saint Mars

Après des études de sociologie,
elle a été journaliste à *Astrapi*.
Elle écrit des histoires
qui donnent la parole aux enfants
et traduisent leurs émotions.
Elle dit en souriant qu'elle a interviewé
au moins 100 000 enfants...
Ses deux fils, Arthur et Henri,
ont été ses premiers inspirateurs !
Prix de la Fondation pour l'Enfance.
Auteur de *On va avoir un bébé*,
Je grandis, *Les Filles et les Garçons*,
Passeport pour l'école,
et *Léon a deux maisons*.

Serge Bloch

Cet observateur plein d'humour
et de tendresse est aussi un maître
de la mise en scène.
Tout en distillant son humour généreux
à longueur de cases, il aime faire sentir
la profondeur des sentiments.

Max et Lili ont volé des bonbons

Imprimé en CEE
ISBN : 2-88445-190-0

Ainsi va la vie

Max et Lili ont volé des bonbons

Dominique de Saint Mars

Serge Bloch

Hé, tu nous en files!
T'as qu'à les piquer toi-même!

T'es même pas cap' de piquer... T'as la trouille!
Même pas vrai, moi, je l'ai déjà fait.
Viens, Max, on y va!

Bon, moi je pique... Et toi, tu parles à la boulangère...
CB
ICE

J'ai peur, Lili...
J'ai les mains moites !
Moi aussi... mais prends un air naturel.
J'ai peur que ça se voie dans mes yeux !

Bonjour madame, vous n'auriez pas une pompe à vélo? Mon pneu est dégonflé...
Ah, non, j'en ai pas!

Bon, ça ne fait rien, au revoir madame !
HÉ !...

Attends un peu, toi, qu'est-ce que tu as là, dans ta poche?...
Moi, hein, quoi? pourquoi ?

Tu m'as volé des bonbons!
Tu n'as pas honte!?
Non, c'est pas moi, je l'ai pas fait exprès, ils étaient par terre...

Ah, tous ces bonbons qui disparaissent, c'est donc toi!
Non, c'est les autres! Je vous jure, madame!

Et lui, là, c'est ton frère? Bravo! Tu vas voir, je vais le dire à la police! Allez, rends-moi tout ça!

La vache ! On s'est fait prendre !
Heureusement, elle n'a pas tout trouvé !

Faut plus qu'on en ait ! Si la police nous retrouve !...

Prends-en encore !
Ah non, moi, j'en peux plus ! J'en ai déjà mangé plein !
T'es pas sympa, Max ! Aide-moi à finir ! On va quand même pas les jeter !

B
A
J'ai l'impression qu'on nous regarde bizarrement. Tu crois que ça se voit quand on a piqué?
Je sais pas... mais moi, je ne me sens pas bien.

On va nous mettre des menottes, notre photo dans les journaux...

Bonjour p'pa! Bonjour m'man!
Ouais... normale!
Bonne journée?

Vous pouvez aller chercher du pain pour les croque-monsieur ?
Euh, non. C'est fermé !
Mais non !
Mais on n'a pas faim !

Moi, j'ai du travail !
Du travail ? La veille des vacances ?

Non, on peut pas y aller! Parce que Lili...
Ah, Max, arrête, t'es gonflé...
Parce que la boulangère a dit que la police... Vas-y, Lili, dis-le...
... J'ai trouvé des bonbons par terre... et la boulangère a cru que je les avais volés!

Tu ne les avais pas volés?
Moi? Non!

On en a gardé... Allez, Lili, dis-le... parce que la police va venir!

Mais, expliquez-vous!

Ben voilà, on a pris des bonbons sans payer et on s'est fait piquer...

Ça s'appelle voler, ça ! Tu l'avais déjà fait, avant ?

Non, c'est la première fois, je te jure.
Tu sais que c'est grave.

Oui... mais... ce ne sont que des bonbons.
Des bonbons ou des bijoux, c'est du vol! La boulangère les achète et les revend pour vivre.
C'est comme si tu lui prenais de l'argent.
C'est aussi la faute des bonbons, y en a tellement! C'est trop tentant!

Et c'est vraiment pénible de se faire voler. Souviens-toi pour ton vélo!
Oui, j'étais triste et furax! Il était à moi!

Tu dis toujours qu'il faut tout partager... surtout ce qui est à moi!

On vous donne de l'argent, pourtant!
Pas assez pour les bonbons!

En plus, c'est cher!
Évidemment, si tout le monde vole, la boulangère augmente ses prix pour ne pas faire faillite!

Tu sais, presque tout le monde le fait! Sinon, on se fait traiter de dégonflé!
Ça m'étonne, et puis ce n'est pas une raison.

Comme vous n'êtes pas des dégonflés, allez rembourser la boulangère et vous excuser !
Ah non !! Tout mais pas ça !
Si, si et tout de suite !
Pitié !

Je ne veux pas voir ça...
c'est trop cruel !
Courage, vieux frère. Quand faut y aller, faut y aller...

Les bonbons que j'ai empruntés... Je suis venue vous dire... Je ne voulais pas...
C'est la honte!

Euh... en fait, il nous restait encore des bonbons, alors on voulait vous les payer.
Ah! Et qu'est-ce qu'on va faire maintenant? Appeler la police chaque fois que vous entrez dans le magasin?

Attendez, j'ai une idée! Je suppose que tu connais toutes les meilleures façons de voler des bonbons.
Oui, enfin, non, peut-être pas toutes!
Demain, c'est les vacances! Alors, si tes parents sont d'accord, tu vas pouvoir te rendre utile!

LE LENDEMAIN, C'EST LE JOUR DU MARCHÉ...
PIQUE IMPOSSIBLE
ATTENTION PIÈGE!
LES MOINS CHERS ET LES MEILLEURS!
UN TIRAGE AU SORT TOUTES LES DIX MINUTES!
TOUT DOIT DISPARAÎTRE!
GROS BONBONS, PETITS PRIX!
AUX BONS

Super, tes écriteaux!
T'as des idées.

Ça a l'air génial ! Tu nous laisses ta place, un peu ?
Oui, nous aussi on a piqué, on doit travailler !

Allez, il faut ranger maintenant ! Tiens, on a du renfort ! Venez, les filles !

Et toi...

Est-ce qu'il t'est arrivé la même histoire qu'à Max et Lili ?

Le fais-tu parce que tu as très envie de quelque chose
et que tu n'as pas d'argent ?

Piques-tu parce que les autres le font ?
Et que tu as envie qu'ils t'admirent ?

Ou parce que ça t'amuse ?

T'es-tu fait prendre en train de piquer ? As-tu eu honte ?
As-tu été puni ? As-tu pu réparer ta faute ?

Si tu ne t'es pas fait prendre : étais-tu content ?
Ou as-tu été embêté ?

As-tu l'impression que rien n'est à toi
et que tout est à tout le monde ?

En as-tu envie parfois ?

Penses-tu qu'il faut respecter la loi pour bien vivre ensemble, en se respectant et en se faisant confiance ?

Arrives-tu à dire NON même au risque de passer pour un « dégonflé » ?

As-tu vu des adultes piquer des petites
ou des grandes choses ?

Penses-tu qu'en volant, on peut faire mal à
quelqu'un... d'une autre façon qu'en le frappant ?

As-tu été volé ? As-tu été en colère ?
As-tu envie de te venger ou de te méfier ?

Après avoir réfléchi
à ces questions
sur le vol,
tu peux en parler
avec tes parents ou tes amis.